这是我的书
It's MY BOOK
7级：400字

最受欢迎的男孩

作者：程以克（Vicki Cheng）
插图：冰河插画（Bing He Design）

北京语言大学出版社
BEIJING LANGUAGE AND CULTURE UNIVERSITY PRESS
PHOENIX TREE
PUBLISHING INC.

识读 吃惊 争 琴 错 开始
答应 演出 忽然

句型 虽然……，但是……

字数 410字

èr bǎi duō nián qián de wéi yě nà yǒu gè xiǎo
二百多年前的维也纳有个小
nán hái tā de yàng zi hěn pǔ tōng kě shì tā yí
男孩，他的样子很普通，可是他一
zuò zài gāng qín qián dà jiā jiù chī jīng de shuō bu
坐在钢琴前，大家就吃惊得说不
chū huà lai tā de gāng qín tán de shí zài tài hǎo
出话来——他的钢琴弹得实在太好
le dà jiā tīng wán hòu dōu zhēng zhe qù qīn wěn zhè
了！大家听完后，都争着去亲吻这
ge kě ài de hái zi
个可爱的孩子。

这个小男孩就是莫扎特。三岁那年，爸爸给姐姐上钢琴课的时候，莫扎特也在一旁跟着听。有一天，莫扎特爬到琴椅上，把爸爸教姐姐的曲子从头到尾弹了一遍。

爸爸和姐姐听到后，都吃惊地说：“一点儿也没弹错！”四岁时，莫扎特开始学拉小提琴，还写了《小步舞曲》。

mò zhā tè xiǎo shí hou cháng shēng bìng kě shì yì tīng
莫扎特小时候常生病，可是一听
dào yīn yuè tā jiù shí fēn gāo xìng bà ba wǒ xī
到音乐，他就十分高兴。“爸爸，我希
wàng yǐ hòu tiān tiān dōu néng tīng dào yīn yuè hǎo ba
望以后天天都能听到音乐。”“好吧！”
bà ba dā ying le tā měi tiān qǐ chuáng hòu bà ba jiù
爸爸答应了他。每天起床后，爸爸就
wèi tā tán yí huìr gāng qín mò zhā tè de yīn yuè cái
为他弹一会儿钢琴。莫扎特的音乐才
néng yě màn màn fā zhǎn qi lai le liù suì tā kāi shǐ
能也慢慢发展起来了：六岁，他开始
dào ōu zhōu gè guó yǎn chū bā suì tā kāi shǐ xiě jiāo
到欧洲各国演出；八岁，他开始写交
xiǎng qǔ shí yī suì tā xiě chu le dì yī bù gē jù
响曲；十一岁，他写出了第一部歌剧。

mò zhā tè hěn xǐ huan dòng wù dào wài dì yǎn
莫扎特很喜欢动物。到外地演
chū shí tā huì xiě xìn gěi jiě jie wǒ men de jīn
出时，他会写信给姐姐：“我们的金
sī què zěn me yàng le tā hái chàng gē ma
丝雀怎么样了？它还唱歌吗？”

yǒu yí cì zài lún dūn yǎn chū shí mò zhā tè
有一次在伦敦演出时，莫扎特
hū rán pǎo kai zhǐ shì wèi le qù zhuī yì zhī xiǎo māo
忽然跑开，只是为了去追一只小猫。
hái yǒu yí cì tā xiě xìn wèn jiā rén wǒ men de
还有一次，他写信问家人：“我们的
xiǎo gǒu hái hǎo ma qǐng bāng wǒ wěn wen tā
小狗还好吗？请帮我吻吻它！”

mò zhā tè shì shì jiè shang zuì yǒu míng de tiān
莫扎特是世界上最有名的天

cái shào nián suī rán tā zhǐ huó dào sān shí liù suì
才少年。虽然他只活到三十六岁，

dàn shì tā de yīn yuè yì zhí gěi rén men dài lai kuài
但是他的音乐一直给人们带来快

lè
乐。

1 二百多年前的维也纳有个小男孩，他的样子很普通，可是他一坐在钢琴前，大家就吃惊得说不出话来——他的钢琴弹得实在太好了！大家听完后，都争着去亲吻这个可爱的孩子。

2 这个小男孩就是莫扎特。三岁那年，爸爸给姐姐上钢琴课的时候，莫扎特也在一旁跟着听。有一天，莫扎特爬到琴椅上，把爸爸教姐姐的曲子从头到尾弹了一遍。

3 爸爸和姐姐听到后，都吃惊地说："一点儿也没弹错！"四岁时，莫扎特开始学拉小提琴，还写了《小步舞曲》。

4 莫扎特小时候常生病，可是一听到音乐，他就十分高兴。"爸爸，我希望以后天天都能听到音乐。""好吧！"爸爸答应了他。每天起床后，爸爸就为他弹一会儿钢琴。莫扎特的音乐才能也慢慢发展起来了：六岁，他开始到欧洲各国演出；八岁，他开始写交响曲；十一岁，他写出了第一部歌剧。

5 莫扎特很喜欢动物。到外地演出时，他会写信给姐姐："我们的金丝雀怎么样了？它还唱歌吗？"

6 有一次在伦敦演出时，莫扎特忽然跑开，只是为了去追一只小猫。还有一次，他写信问家人："我们的小狗还好吗？请帮我吻吻它！"

7 莫扎特是世界上最有名的天才少年。虽然他只活到三十六岁，但是他的音乐一直给人们带来快乐。

看图讲故事